KB103139

[목차]

[모험]

숲속을 정처 없이 떠돌고 있을 때, 오두막이 하나 보였다.

누구의 집인지도 몰랐지만 나는 이미 지칠 대로 지쳐있었기에 터덜터덜 오두막 쪽으로 걸어가 문을 열었다.

"앗?! 안녕하세요~! 어...그러니까...저는 엘라예요! 누구신지는 모르겠지만 시간 되시면 저랑 놀아주세요!"

문을 열어보니 작고 꼬질꼬질한 아이가 나에게 도도도도 달려왔다

"으음...꼬마야, 몇 살이니? 부모님은?"

"부모님이요? 그게 뭐예요? 아! 나이는... 헤헤 잘 기억이 안 나네요...! 여기 처음 왔을 때가 6살이었던 거 같아요,"

뭐? 이 6살 때부터 어른의 도움 하나 받지 못하고 이 험한 숲속에서 툭하면 무너질 거 같은 오두막집에 살고 있었다니...도대체 누가 이렇게 어린아이에게 이런 짓을 한 거지?

"배고프진 않아? 밥은 잘 챙겨 먹어?"

나는 심각하게 마르고 작은 엘라의 몸을 보며 밥은 잘 먹고 다니는지 걱정이 되어 가방에 먹을 게 있는지 찾아보며 물었다.

"밥은 챙겨 먹냐구요? 네! 저는 독이 있는 열매라던가.. 버섯이라던가...이런 걸 꽤 잘 구분하거든요! 그래서 굶지는 않아요! 가끔 벌레를 먹기도 하구요!"

한창 성장기로 보이는데, 열매나 버섯, 심지어는 벌레를 먹었다는 엘라의 말을 듣고는 당황해서 손에 들고 있던 초콜릿을 다시 가방에 떨어트렸다. 다시 가방에서 초콜릿을 꺼내려 했지만 계속 열매랑 벌레를 먹어온 아이에게 초콜릿을 줘도 될까? 라는 생각이 들어 다시 가방에 넣었다. 엘라도 별로 배는 안 고파 보이니까...

"흐음..."

나는 엘라를 뚫어져라 쳐다보았다.

이런 곳에서 살아있는 것 자체가 기적인데 웃음을 잃지 않고 생기가 가득한 눈으로 나를 바라보고 있는 게 신기하면서도 기특해서 쓰다듬어보고 싶었지만, 초면이니까 참았다. 음? 잠시만, 엘라와 내가 초면이던가? 전에도 엘라처럼 붉은 머리에 엘라라는 이름을 가진 아이를 본 적 있던 거 같은데...? 왜인지 모를 데자뷔를 느끼며 떠올리려고 생각에 빠져있다가 엘라에게 여러가지를 물어보았다. 하지만 엘라의 말은 들으면 들을수록 더더욱 뭔가 미궁에 빠졌다. 엘라는 이곳에 오기 전의 기억이 없는 듯했다. 내가 이해하는 것을 포기하고 '이게 무슨 상황인가...' 하는 표정을 짓고 있을 때, 엘라가 말했다.

"아, 근데 저기...뭐라고 불러야 할까요? 어떻게 불러야 할지 모르겠어서요...!"

아 맞다 내 이름도 안 알려줬었구나.
생각해보니 엘라의 입장에서 나는 갑자기 자신의 집에 쳐들어 와선 자신에 대해 이것저것 캐묻는 이상한 사람일 텐데 이름도 안 알려주고 뭐 하고 있던 거람.

엘라는 나를 처음 보자마자 이름부터 알려
줬는데 말이지.

"레인...이야."

"레인...? 레인! 기억해둘게요! 앗, 벌써
모험할 시간이에요! 레인...같이 가주실...래
요?"

 모험? 식량 같은 걸 모으러 가는 건가?
뭐가 됐든 일단 지금은 엘라 곁에 있어 줘
야 할 거 같기에 같이 가겠다고 말했다.

"헤헷~! 그럼 출발하기 전에 준비물 챙겨
올게요!"

 내가 같이 가겠다고 말하자 엘라는 준비
물을 챙겨오겠다며 오두막 곳곳을 돌아다
니며 스케치북, 색연필, 잠자리채, 채집통
으로 보이는 것을 가방에 집어넣었다. 나는
조금 당황스러웠다. 이 숲속에 저런 게 왜
있는 거지?

"엘라, 이것들 다 어디서 가져온 거야?"

"네? 이거요? 음,,,그냥...돌아다니다가 가
방 하나가 떨어져 있길래 그걸 열었더니

6

있었어요!"

분명 그건 안 좋은 행동이다. 주인이 있을지도 모르는 물건을 함부로 가져와서 쓰다니...

하지만 저 아무것도 모른다는 눈빛...6살 때부터 이곳에 혼자 살았는데 이게 나쁜 짓이라는 걸 모르는 게 당연하다. 남의 물건을 막 쓰는 건 나쁜 짓이라는 걸 알려주는 게 좋을 것 같다.

"엘라, 주인이 있을지도 모르는 물건들을 함부로 주워 오는 건 좋지 않은 행동이야, 그게 어디서, 어떻게 사용되었던 것인지도 모르고 말이야."

"우음...그렇군요. 제가 나쁜 짓을 했군요...이 물건들 주인분들에게 너무 죄송해요,,,"

엘라의 눈에 눈물이 글썽거리는 게 보였다. 울리려던 건 아니었는데...엘라의 그런 표정을 보는 것만으로도 마음이 안 좋았다.

"그...엘라? 다음부터 안 그러면 되는 거

야, 알았지?"

"네에...알겠어요, 레인!"

엘라는 씩씩하게 말했지만, 표정은 아직
안 좋았다.

"어...그...모험 기대되지 않니 엘라?"

나는 화제를 돌리기 위해 황급히 다른 말
을 꺼냈다.

"헤헤...그렇죠? 저희 이제 나갈까요?"

엘라의 손을 잡고 내가 아까 들어온 문을
열고 밖으로 나왔다. 지금 보니 문 여기저
기 곰팡이와 이끼가 껴 있었다.

"하핫! 역시 밖에 나오는 건 언제나 즐거
워요!'

다행히도 엘라는 밖에 나오자마자 아주
즐거워 보이는 표정이었다.

"어엇? 레인! 저기 봐요! 귀여운 노란색
열매에요! 으음... 앗, 이건 독이 있는 열매
네요! 먹지는 못하니 그림으로라도 그려야
겠어요!"

엘라가 챙겨온 가방을 뒤적거리며 스케치

북과 색연필을 꺼냈다.

"레인도 그려봐요! 재미있어요!"

엘라는 스케치북을 부욱 찢더니 나에게 건넸다.

나는 엘라가 빌려준 스케치북과 색연필을 들고 내 앞에 있는 노란색 열매를 그렸다.

"우와! 레인 그림 진짜 잘 그리시네요?! 진짜 같아요!"

엘라가 자신이 그린 그림을 나에게 보여주려고 나에게 가까이 다가왔다가 내 그림을 보고 놀라서 말했다.

사실 엘라의 그림도 훌륭했다. 미술학원을 몇 년 다녔다고 해도 믿을 거 같았다.

"엘라가 그린 그림도 충분히 잘 그렸어. 나중에 화가가 되어도 좋겠는걸?"

"에? 레인 화가가 뭐예요?"

아차, 화가를 모를 거라고 생각하지 못했다. 이 아이가 뭘 알고 뭘 모르는지 모르니까 단어 선택이 조금 어렵네....

"음...화가는 말이야, 대충 그림을 그려 돈

을 버는 직업이랄까."

"돈? 직업? 그건 또 무슨 뜻이에요?"

...그래 6살 때부터 이 숲속에 혼자서 그것도 그전의 기억도 없는 상태에서 말이라도 제대로 할 수 있는 게 대단한 거지. 차근차근 알려주면 금방 배울 수 있을 거야, 그렇게 생각하며 엘라와 숲속 여기저기를 다녔다. 엘라와 모험을 시작한 지 2시간쯤 되었을 무렵, 나는 충격으로 너덜너덜해진 채로 엘라의 오두막으로 돌아왔다.

왜냐하면, 몇 분 전....

"앗? 지렁이다!"

엘라가 지렁이를 발견하곤 지렁이를 들어올려....

"와앙~!"

그대로...입에 넣었다...

으윽, 끔찍해...아까 가끔 벌레를 먹는다고 하긴 했지만, 방금까지도 꿈틀거리던 걸 먹다니...

"에? 레인! 왜 그래요? 어디 아파요?"

오두막 바닥에 널브러져 누워있는 나를 보고 엘라가 말했다.

아프긴 아프다...속이 매스껍다...엘라가 지렁이를 먹는 모습을 떠올리면 금방이라도 아침에 먹은 것을 게워낼 것 같다...

"아...아니야. 엘라 나 멀쩡...우윽..."

"거짓말이죠!"

들켰다.

하긴 나여도 안 믿을 거 같다. 세상에 어떤 멀쩡한 사람이 얼굴이 새파래져서 널브러져 있겠나...

"레인! 기다려요! 약초 구해올게요!"

"아니야...엘라...괜찮아..."

하나도 안 괜찮다.

"으으...그럼 이거라도 드세요!"

엘라가 나에게 작은 빨간색 열매를 내밀었다. 처음 보는 생김새의 열매에 당황하긴 했지만, 꽤 먹음직스러워 보여 엘라가 준 빨간 열매를 입에 넣었다.

"...!"

맛있다! 그리고 방금까지 부글부글 끓던 속이 진정되는 듯했다.

"이건 무슨 열매야 엘라?"

"헤헤 예전에 파리가 가득한 동물시체를 뜯어먹다가 자주 아팠거든요! 그때마다 오두막 뒤에 피는 이 빨간 열매를 먹으면 괜찮아져서 레인한테도 줘봤어요!"

...뭐? 파리가 가득한, 뭐...? 괜찮아졌던 속이 다시 매스꺼워졌다.

"우당탕탕!!"

"레인!!!!"

잠시 후, 난 침대로 추정되는 지푸라기 뭉텅이 위에서 깨어났다.

작은 창문 사이로 노을 지는 햇살이 들어오고 있기에 꽤 시간이 지났다는 걸 알 수 있었다.

내가 비위가 약한 건 알았지만...이야기만 듣고 쓰러지다니...자존심이 조금 상했다.

"앗 레인! 일어나셨네요!"

내 옆에서 졸고 있던 엘라가 눈을 비비며

말했다.

"갑자기 쓰러지셔서 얼마나 놀랐다구요!"

"미안 엘라, 걱정시켜서."

'치칙치익'

갑자기 주머니에서 무언가 작동되는 소리가 났다.

아 무전기! 무전기의 존재를 까먹고 있었다.

"레인! 레인! 어딜 간 거야?! 벌써 해가 지고 있다고! 연구소장님 심부름 갔다고 들었는데

도대체 무슨 심부름이길래 해 뜰 때 나가서 아직도 안 돌아오는 거야? 아무튼, 빨리 좀 와라! 오버!"

아, 이제야 말하는 건데 내 직업은 연구원이다.

이 숲은 연구소장님이 환각을 보게 하는 독버섯 미치광이 버섯을 채집해 오라는 지시로 온 거였다.

...아 미친 망했다.

"레인! 손에 들고 있는 검은색 그건 뭐예요? 이상한 소리가 나요...."

"어...엘라, 그건 나중에 설명해줄 테니까 혹시 미치광이 버섯이 어디서 나는지 알아...?"

나는 무전기에 대해 질문하는 엘라에게 설명을 미루고 미치광이 버섯이 어디서 나는지 물었다.

"미치광이 버섯이요...? 그게 뭐예요?"

아, 이름으로 말하면 엘라가 알아들을 리 없지...

난 주머니에 꼬깃꼬깃 접혀있던 미치광이 버섯의 사진을 꺼냈다.

"이렇게 생긴 버섯, 이 숲에서 본 적 없어?"

"아, 이거 독이 있는 버섯 맞죠? 이 버섯이라면 조금 위쪽으로 가면 많긴 한데...이렇게 위험한 버섯은 왜요?"

글쎄다. 나도 이걸 왜 채집해 가야 하는지 모르겠어.

"그...어른들의 사정이 있는 거야."

"음? 레인 어른 아니지 않아요?"

"어? 어떻게 알았어?"

엘라의 말이 맞다. 난 성인이 아닌 17살이다. 하지만 이 숲속에 살아 인간을 본적이 많이 없을 엘라가 내가 성인이 아니라는 걸 어떻게 아는 거지?

"어른들은 다 크고 무섭게 생겼고 턱 밑에 수염이 나 있어요! 하지만 레인은 그렇지 않은걸요?"

엘라는 어른을 많이 본 적 없을 테니 어쩌면 저렇게 생각하는 게 당연할지도 모른다. 아마도 엘라를 버리고 간 사람들의 생김새를 '모든 어른들은 이렇다.'고 인식하고 있을지도...

"응 알았어. 엘라, 아무튼 사정이 있어서 말이야 미치광이 버섯이 있는 곳으로 안내 좀 해줄래?"

"네!"

그렇게 엘라를 따라 미치광이 버섯의 군

락지로 가서 충분히 채집하고 나니, 해가 완전히 져버렸다. 깜깜해진 밤하늘을 보며 이젠 정말 돌아가야 할 시간이란 것이 느껴졌다.

"엘라, 난 이제 돌아가 봐야 할 거 같아, 다음에 또 올게. 기다려 줄 수 있어?"

"네! 레인!"

엘라가 씩씩하게 대답했다.

나는 점점 멀어져 가는 엘라를 보며 계속 생각했다. 왜 그렇게 엘라가 익숙했는지, 그리고 드디어 기억이 났다. 엘라가 누구였는지....

[엘라]

 나와 엘라는 둘 다 연구소에서 키워진 아이였다. 엘라는 거의 신생아로 보이는 아이를 연구소 근처 풀밭에서 발견했다며 한 연구원이 데려왔고, 나는 연구원이었던 부모님이 7살인 나를 연구소에 맡겨두고 사라져 행방이 묘연했다. 엘라와 나는 비슷한 시기에 연구소에서 살게 되었지만 엘라와 처음 만난 건 엘라가 5살 내가 12살일 때, 한창 연구소가 바빠 아무도 우리를 돌보아 주지 않을 때 내가 연구소 이곳저곳을 탐험하다가 복도에 혼자 있던 엘라를 만나면서였다.

 "너는 누구야?!"

 "으에...? 오빠야말로 누구야?"

 "오빠????"

 그 당시 나는 어른들 사이에서 귀여움받으며 살았기에 '오빠'라는 말이 너무 어색하고 나보다 작고 어린 엘라가 너무너무 신기했다.

17

″오빠 아니야? 그럼...언니?″

″뭐?!″

″에? 이것도 아니야? 그럼 아저씨??″

″아니야!! 오빠맞아..!!″

″헤헤 역시 그렇지? 그래서, 오빠는 누군데?″

″...레인이야 그럼 넌 누군데?!″

″와~! 레인 오빠구나! 나는 엘라야!″

엘라와 그렇게 처음 만나고 엘라와 같이 연구소를 탐험하다가 위험한 곳까지 들어갈 뻔해서 연구소장님한테 엄청나게 혼났었던 기억이 있다.

″레인!! 12살이나 먹고 글자도 못 읽어? 여기 '위험, 관계자 외 출입 금지'라고 적혀 있잖니! 심지어 7살이나 어린 동생까지 끌고 와서 뭐 하는 거야?! 내가 이 근처 안 지나가고 있었으면 어쩔 뻔했어!!″

"죄송합니다..."

"죄송해요...흐윽"

"응? 아니 잠깐만 울지마~! 얘들아~??"

그때 그 자리에서 우리 둘 다 대성통곡해 버려서 연구소장님이 우리 달래느라 고생하셨는데...아 뭔가 생각이 다른 길로 새버렸다. 흠...근데 정말 이상하다. 그 이후로 엘라랑 1년 정도 정말 친하게 지내다가 갑자기 사라져서 연구소장님한테 물어봤을 땐 분명 엘라의 부모님이 찾아와서 집으로 돌아갔다고 그랬는데 왜 이곳에 있던 거지? 그리고 엘라는 왜 나를 전혀 기억 못 하던 걸까? 아, 근데 이건 엘라와 헤어지고 나서야 겨우 엘라를 기억한 내가 할 말은 아니려나. 하긴...엘라는 그때 당시 5살이었으니, 기억 못 하는 게 그렇게 이상한 건 아니지. 나도 많이 컸고 얼굴도 어렸을 때랑은 다르니까. 하지만 집으로 돌아갔다던 엘라가 숲속에서 혼자 살고 있는 건 뭘 어떻게 생각해도 이상하다. 그리고 8살 때 며칠 잠깐 나를 돌봐준 연구원 얼굴도 기억하는 나인데 1년을 그렇게 친하게 지낸 엘라를 바로 기억해내지 못했다는 것도 조금 이상하다. 아, 그런데 여기,,,어디지? 맞다! 엘라를 만난 것도 길을 잃어서 헤매던 중에 엘라의 집에 들어가서 만난 거였지!! 하하...

그렇게 또 한참을 헤매다 겨우 연구소에 도착하니 어떤 사람이 나에게 달려왔다.

"레인! 지금 시간이 몇 시인 줄 아냐? 새벽 1시라고~! 연구소장님한테 물어보니까 그냥 버섯 따러 갔다던데 버섯 따는 게 이렇게 오래 걸려?!"

이 사람의 이름은 바루, 아까 무전 했던 사람이 이 사람이다. 나보다 9살 많지만, 친구처럼 지낸다. 그래도 내가 이 연구소 막내라서 그런지 잘 챙겨주긴 하지만 잔소리도 그만큼 많다.

"길 잃어서 좀 늦었네....? 하하하."

"하하하? 지금 웃음이 나오냐? 길을 잃어서 아침에 나가서 지금 들어왔다고~?! 길을 잃었으면 무전을 하던가! 도움을 요청하든가 해야지!!!"

그렇게 바루에게 잔뜩 야단맞고 연구소 안으로 들어갔다.

"연구소장님, 미치광이 버섯 채집해왔습니다."

"레인~ 딱딱하게 연구소장님이 뭐야! 몇 년을 키워줬는데 엄마~ 라던가 이모~ 라던가 친근한 호칭 같은 걸 불러 줄 순 없는 거야~?"

이분이 바로 연구소장님이다. 나와 엘라를 키워주신 분.

"죄송해요. 연구소장님, 이게 편해서요."

"아냐 괜찮아~ 그나저나, 엘라는 잘 있었어~?"

"네?"

왜, 갑자기 연구소장님의 입에서 엘라의 이름이 나오는 거지? 내가 엘라를 만나고 온 걸 아시는 건가? 연구소장님은 엘라가 저 숲속에 있다는 걸 알고 나를 보낸 건가?

"음~ 네가 엘라를 기억해냈든 기억하지 못했든 혼란스러운 건 마찬가지겠지~ 앉으렴. 이야기해줄게~"

나는 사색이 된 얼굴로 연구소장님 앞에 앉았다.

"레인, 엘라, 기억나? 5년 전인가? 친하게 지냈었잖아? 음...아직 기억이 돌아오지 않았다면 저 숲에서 만난 엘라 밖에 기억하지 못하려나?"

"기억나요, 그런데 연구소장님, 엘라가 저 숲속에 있다는 거 알고 계셨던 거죠? '기억이 돌아오지 않았다면'이라는 말은 도대체 무슨 뜻이죠?"

"기억이 돌아왔구나! 아, 엘라가 거기 있는 건 당연히 알고 있었단다. 거기에 엘라를 집어넣은 건 나니까!"

"네? 거짓말...엘라는 집으로 돌아갔다고 하셨잖아요."

"그건 레인 네가 워낙 엘라를 친동생처럼 아끼고 좋아했으니까 갑자기 없어지면 걱정할까 봐 한 선의의 거짓말이란다~"

"왜 엘라를 그런 곳에 버린 건데요...? 귀찮았나요?!"

"어머, 레인 난 엘라를 버린 게 아니야~ 실험 중인 거지~"

"실험...? 무슨 실험이요? 엘라가 장난감이에요? 그렇게 어린애를 혼자 숲에 던져 놓은 게...심지어 엘라. 기억 지우신 거죠? 그거 불법이잖아요. 저한테 기억이 돌아오니 뭐니 한 거 보면 제 기억도 지우신 거죠?! 왜 그러신 건데요!!"

울분이 치밀어 올라 연구소장님에게 처음으로 큰소리를 냈다. 아니, 이제 이런 인간을 '님'을 붙여 높여 말하고 싶지 않다. 엘라를 혼자 숲속에 던져 놓고...그걸 실험이라 포장하다니...!

"워워~ 진정해, 레인. 그래 잔인한 실험이긴 하네. 그런데...어린아이를 숲속에 혼자 두면 어떻게 될지 너무 궁금했는데 어떡해? 죽을지, 방법을 찾아 살아남을지?

성격은 어떨지? 궁금하지 않아 레인?"

연구소장이 광기가 가득한 목소리로 말했
다. 내가 알던 연구소장님이 아닌 거 같다.
내가 알던 연구소장님은 저런 사이코패스
가 아니었는데.

"어린아이를 숲속에 처넣은 뒤의 결과가
궁금할 리가요! 제 기억을, 엘라의 기억을
지운 이유는 뭔데요? 제 기억을 다시 돌아
오게 한 이유는 또 뭐죠?"

"엘라가 숲속 바깥으로 나가고 싶어 하면
안 되니깐! 연구소에서 너와 행복하게 놀던
추억을 그리워하며 숲 밖으로 나와버리면
안 되니까 말이야! 그리고 너의 기억은 지
웠던 게 아니야, 조금 깊숙이 집어넣었던
거지. 네가 엘라를 만나자마자 본인은 기억
도 없는데 네가 엘라를 아는체하면 엘라는
당황스러울 거 아니야? 그래서 네가 엘라
와 헤어지고 나서 서서히 기억나게끔 해놨
지! 아~ 계산하기 힘들었어!"

"갑자기, 왜 그런 실험을 엘라한테 한 건

데요?! 차라리...흑윽...! 차라리 저를 보내시지...!! 왜 제 동생을...!! 엘라를...!!"

엘라를 그저 실험체로 사용한 연구소장이 너무 밉고, 엘라가 지금껏 당했을 일들이 상상돼서, 참으려고 했던 눈물이 결국 터지고 말았다.

"음...너한테 이 말을 하긴 조금 그렇긴 한데...원래 너를 보내려고 했어, 그런데 넌 연구원이었던 너의 부모님을 닮아 똑똑하길래 잘 키우면 **훌륭한 연구원**이 되겠구나~ 싶어서 그냥 남겨뒀지~ 자! 설명은 이 정도 하면 됐으려나? 시간이 늦었으니 빨리 대답해 주렴. 엘라의 상태는 어땠어? 성격은?"

연구소장이 자리에서 일어나 내 눈물을 닦아주며 말했다. 연구소장이 하는 말도, 내 볼에 연구소장의 손이 닿아있는 것도 너무 불쾌했다.

"...제가 아는 엘라보다 조금 성숙했어요. 웃음이 많고, 호기심이 많은 평범한 소녀였

습니다."

　너무 화가 나서 목소리가 덜덜 떨렸지만 겨우 대답했다. 대답하기 싫었지만 왜인지 저절로 나왔다.

　"그래? 저번에 보낸 연구원이 엘라한테 물려서 왔길래 숲속에서 사느라 곰처럼 포악해진 줄 알고 조금 기대했는데...아, 시간이 벌써...나머지는 나중에 말해줘~ 얼른 자러 가~"

　"...네."

　마음 같아선 아는 욕을 다 내뱉고 싶었지만, 꾹 참고 방으로 돌아갔다.

　나는 오늘 온종일 입고 있던 겉옷과 연구복을 벗었다. 새하얗던 가운은 흙으로 뒤덮이고 여기저기 긁혀 더러워져 있었다. 이렇게 긴 모험이 될 줄 알았으면 연구복을 입고 가지는 않았을 텐데. 더러워진 옷들을 빨래통에 던지듯 넣은 후, 잠옷을 꺼내 입고, 침대에 누웠다.

　오늘 너무 많은 일을 겪어서인지 침대에

눕자마자 온몸이 편안해지며 진정되는 느낌이었다. 스르륵 눈이 감겼다. 하지만 잠시 후 문이 열리는 소리에 나는 눈을 떠야만 했다.

"레인 자기 전에 이거 한 번 만 먹고 자렴."

또 연구소장이다.

연구소장은 가끔 이렇게 내가 잠들기 전에 약 하나를 가져와 먹으라고 하신다. 그약들을 지금까진 별생각 없이 먹어 왔지만, 오늘 연구소장에게 엘라의 대한 이야기를 듣고 나니, 이 약을 먹이던 것도 다 실험이었나? 라는 의구심이 저절로 들었다.

"네."

하지만 별수 있겠는가, 난 약을 받았다. 분명 머리로는 이해하고 있다. 지금 이 약을 먹으면 안 된다. 하지만 약을 든 손은 점점 입 가까이 가고 있었다. 두려웠다. 지금 여기서 이 약을 거부하면 어떻게 될지, 오늘 엘라를 보고 너무 어리다, 불쌍하다고 생각했었는데 나도 엘라도, 연구소장에겐 똑같은 실험체였다는 것을 뼈저리게 느꼈다.

'꿀꺽'

약을 삼켰다. 내가 약을 삼킨 걸 확인하고 연구소장은

"그럼 잘자~"

라고 나에게 말하고 방을 나갔다. 모든 게 불쾌하다, 기분이 이상하다, 약 때문인지 갑자기 졸음이 밀...려온다.

[바이러스]

 눈을 뜨니 창문으로 아침햇살이 들어오고 있다.

몸이 개운하다. 왜인지 기분이 좋다. 침대에서 일어나 옷을 갈아입...아 어제 더러워진 옷들을 빨아두지 않고 잠들었다. 심지어 그 숲속에서 구르다 왔는데 씻지도 않은채로...

빨래를 안 한 지 꽤 오래됐던 참이라 입을 옷이 없어 옷장에 꼭꼭 숨어있던 언젠가 선물 받은 후드티와 낡은 청바지를 겨우 찾아 품에 안고 샤워실로 들어가 몸을 씻었다.

 발아래로 흙이 섞인 물이 나오는 게 보였다. 나는 온몸을 깨끗하게 씻고 옷을 입은 다음,

더러워진 옷들을 주섬주섬 챙겨 식당 옆 세탁실로 발걸음을 옮겼다.

 식당 옆을 지나가는데 고소한 마늘 빵 냄새가 풍겨온다. 얼른 이 옷들을 빨고 따뜻

한 마늘 빵을 한입 가득 먹을 생각에 신나 세탁실로 뛰어갔다.

음? 연구소장이 보인다. 나를 발견하고 다가온다. 좋았던 기분이 한순간에 나빠졌다.

"아, 레인! 잘 만났다! 할 얘기가 있어~!"

연구소장이 어느새 코앞까지 다가와 말했다.

"엘라 말이야. 아직 좀 더 지켜봐야 할 거 같아! 글쎄, 저번에 엘라에게 물렸다던 연구원이 알 수 없는 병에 걸려서 앓아누웠다는 거 있지? 조금 흥미롭길래 내가 방금 직접 가서 그 바이러스를 채취해서 조사해 봤는데! 아무래도 숲속에서 이상한 걸 많이 주워 먹었는지 엘라의 몸에 바이러스가 많이 축적되어있었나 봐! 그래서 결론은! 아직 위험하니 내가 갔다 오라고 할 때까지 엘라를 만나러 가면 안 돼~! 알았지?"

나는 연구소장의 말을 듣고 당황한 기색을 감출 수 없었다. 엘라가 걱정된다.

꼭 다시 오겠다고 약속했다. 엘라도 기다리고 있을 것이다. 내가 엘라에게 가지 못한 사이에 또 엘라가 무슨 짓을 당할 것만 같다.

"네 알겠습니다."

나는 차분하게 대답했다. 연구소장이 돌아갈 때까지 난 그 자리에 서서 곰곰이 생각했다.

지금 내가 뭘, 어떻게 해야 할까.

"레인~! 왜 빨랫감을 들고 여기 서 있는 거야?"

그때 내 뒤에서 바루의 목소리가 들렸다.

"아~! 레인 너! 빨래하려고 세탁실 가고 있었는데 마늘 빵 냄새나서 멈춘 거지! 역시 빵 애호가 레인! 빨래는 좀 나중에 하고! 마늘 빵 식기 전에 우리 밥부터 먹으러 가자!"

나는 저항할 새도 없이 빨랫감이 담긴 바구니를 들고 식당으로 끌려들어 갔다.

바루는 나를 식탁 앞에 앉혀놓고 배식대로

달려가 내 몫까지 막 구워나온 마늘 빵을
들고 왔다.

"레인? 왜 그래? 빵이라면 환장하는 애가
빵을 앞에 두고 그런 표정을 짓는 게 말이
돼?"

아, 의식하지 않았는데 아직도 내 표정이
굳어 있었나 보다.

"아, 괜찮아 뭐 생각할 게 있어서."

나는 억지로 입꼬리를 올려 웃어 보이곤
바루가 들고 온 마늘 빵을 입에 넣었다.

"...맛있네."

기분이 나아진 건 아니었지만, 확실히 맛
있는 건 맛있는 거다.

"아아? 안 뺏어 먹으니까 천천히 좀 먹
어!! 아잇! 레인 그 접시는 내 거야!"

밥을 먹고 나자 기분이 조금은 괜찮아졌
다. 잠도 깼는지 머리도 잘 굴러가기 시작
했다. 나는 바구니를 들고 세탁실로 향하지
않고 연구실로 들어갔다. 우리 연구소는 다
들 연구하는 것을 귀찮게 생각해서 시킨

일이 없으면 연구실에 잘 들어오지 않아서 아무도 없었다. 그러면 도대체 왜 연구원이 되었는지 좀 의문이긴 하지만 그건 나중에 생각하기로 하고 바구니에서 어제 입었던 옷들을 샅샅이 뒤져보았다. 연구소장이 말한 그 바이러스를 찾기 위해.

"하…"

없다. 그저 흙에서 묻어나온 미생물 같은 것 만 보일 뿐이었다. 내가 그 바이러스를 찾는 이유야 간단하다. 그 바이러스를 연구해, 해독제를 만들면 엘라를 만나러 갈 수 있을 것이다.

하지만 역시 없다. 인정해야 할 사실이었다.

몰래 만나러 가볼까? 라는 생각을 해봤지만 그건, 거의 불가능에 가깝다.

연구소에서 나가기도 쉽지 않고, 갑자기 다시 찾아와서 숲 밖으로 나가자고 하면 엘라가 순순히 따라와 줄 것이라는 생각이 들지 않는다. 기억이 없는 엘라에게 밖이란

미지의 세계일 테니까, 바이러스가 얼마나 강한지도 가졌는지도 모르고, 만약 나왔다 해도 나도, 엘라도 돌아갈 곳이라곤 연구소 뿐. 부모님도, 딱히 집이라 할 곳도 없는 우리가 도대체 어디로 갈 수 있는가, 이리 저리 살펴보느라 잔뜩 구겨진 흙 묻은 옷들을 붙잡고 엘라에게 아무것도 해줄 수 없다는 자괴감에 우는 것밖엔 할 수 없었다.

'끼익-'

문 열리는 소리가 들렸다. 난 재빨리 눈물을 닦고 옷들을 바구니로 던졌다.

"레인! 잘 잤어? 오늘 아침 마늘 빵 진짜 맛있었지! 응? 레인 실험 도구 다 꺼내놓고 뭐해?"

문을 열고 레나 누나가 연구실로 들어왔다. 레나 누나는 내가 어린 시절, 나를 자주 돌봐주었던 사람이다. 요즘까지 내가 어린 시절 좋아했던 음식들을 가끔 챙겨주는 좋은 사람이다.

"청소...중 이었어."

"아 그래? 오늘 청소 당번이 너였나? 나인 줄 알고 왔는데! 뭐 적당히 하고 쉬어. 이런 눈 아프고 약품 냄새나는 곳에 오래 있을 필요는 없지. 그럼 이만!"

...잘 넘긴 듯하다. 일단 이 옷에선 바이러스에 관한 단서를 얻을 수 없었으니까 빨리 빨아버리자....

"덜컹덜컹"

세탁기 돌아가는 소리가 들린다. 이제 어떻게 해야 할까, 연구소장 그 인간은 해독제를 만든다며 엘라에게 억지로 항체를 채취하려 든다던가, 아니면 바이러스가 없어지길 기다리기라도 한다는 듯 또 내버려 둘지도 모른다. 온갖 불안한 생각들이 머릿속을 지배한다. 분명 이전에도 연구소장이 사람에게 실험하는 걸 본 적이 있다. 왜 나는 그때 아무 생각도 안 하고 그냥 지나쳤을까? 그 사람들도 고통스럽고 무섭고 도망치고 싶었을 텐데...

쿵. 쿵. 쿵. 하고 심장이 거세게 뛰기 시작했다. 지금 내가 느끼는 이 커다란 감정은 무엇일까. 엘라를, 연구소장에게 잡혀 실험당하던 사람들을, 구하지 못했다는 죄책감? 나도 그 사람들과 똑같은 실험체가 될 거라는 불안함? 연구소장의 손아귀에서 벗어날 수 없을 거라는 절망감?

머리가 아프다. 쓰러질 것 같다. 시야가 흐려지고 다리가 풀린다...

'털썩.'

시간이 어느 정도 지나 내가 깨어난 곳은 의무실이었다.

그런데 이상하다. 난 왜 쓰러진 거지? 딱히 쓰러질 정도의 상황은 아니었다.

분명 멘탈이 깨져 제정신은 아니었긴 한데, 사람이 겨우 그런 거로 쓰러지나? ...하긴 어제는 비위상해서 쓰러졌는데, 체력을 길을 필요가...아. 잠깐 여긴 의무실이잖아. 그렇다면, 엘라에게 물려 바이러스에 감염

되었다던 그 사람도 치료를 받기 위해 여기 있지 않을까?

생각이 거기까지 다다른 나는 퍼뜩 몸을 일으켜 의무실 곳곳을 조심스럽게 둘러보았다. 의무실에 있는 사람은 총 6명, 모두 잠들어 있다. 움직이기엔 지금이 가장 편한데...문제는 누가 엘라에게 물린 사람인지 모르겠다고 생각하며 옆을 보니, 팔뚝에 선명한 이빨 자국이 있는 누가 봐도 험악한 인상의 아저씨가 주무시고 계셨다. '저렇게 생겼으니까 엘라가 어른들은 다 무섭게 생겼다. 고 표현할만하지...'라는 생각이 머리를 스쳐 지나갔다. 외모만으로 사람을 판단하는 건 좋지 않지만 저건 너무 무섭지 않은가, 내가 엘라였더라도 똑같은 행동을 했을 것 같다. 아무튼, 이 아저씨라면 바이러스를 얻을 수 있을 것이다, 나는 주변을 뒤져 발견한 작은 주사기 한 개를 들고, 그 아저씨 옆으로 조용히 다가갔다. 주사기를 들어 올려 벌어져 있는 아저씨의 입에 집어넣어 침을 뽑았다.

'슥 샤락.'

아저씨가 뒤척인다. 나는 뒤도 안 돌아보
고 도망쳤다.

감염된 침을 획득했다. 난 연구실로 들어
가 침을 분석했다. 10년을 연구소에서 살
아온 나에게 바이러스 하나 찾는 건 쉬운
일이다. 근데...냄새가 지독하다...양치를 얼
마나 안 한 거야 이 아저씨는...!

일단 바이러스는 찾았는데... 이거 완전
처음 보는 바이러스다. 해독제를 만드는 게
쉬운 것도 아니고 증상도 제대로 모르고
정확히 어떤 방식으로 감염되는지도 모른
다.

...이 이상 생각하면 머리가 터져버릴 것
같으니 찾은 바이러스만 보관해두고 오늘
은 쉬어야겠다.

방으로 돌아가는 길, 식당에서 따뜻한 수
프 냄새가 풍겨왔다.

생각해보니 오늘 점심을 먹지 않았다. 해독제를 만들어야 한다는 생각에 사로잡혀 배고픔도 잊었었나 보다. 아니, 오늘 아침에 마늘 빵을 너무 많이 먹어서 배가 안 고팠을도,

아무튼, 식당에 온 김에 저녁은 먹어야겠다.

나는 식당에 들어가 오늘 저녁인 감자 수프를 받아 식탁에 앉았다.

수프를 한입 떠서 먹었더니 따뜻함을 넘어 뜨거운 수프의 열기가 몸 가득 채워졌다.

몇 입 떠먹고 있으니 바루가 수프를 들고 자연스럽게 내 옆에 앉았다.

나도 별로 대수롭지 않게 생각하고 수프를 먹으며 바루와 지극히 일상적이고 평범한 대화를 나누었다. 하지만 이렇게 즐거운 순간에도 엘라가 문득 떠오른다.

나는 이렇게 따뜻하고, 부드럽고, 맛있는 밥을 매일, 당연하게 먹는데 엘라는 이런 밥을 못 먹은 지 얼마나 되었을까 같은 생

각들이 자꾸 머릿속을 스친다.

엘라와 나는 비슷한 운명이지만 뭔가 다른 일상을 살고 있다. 나도 연구소장에게 이용당하고 있는 입장인 것 같지만 나보단 엘라가 수천 배는 더 힘들겠지.

"레인, 갑자기 표정이 왜 그래? 어디 아파?"

바루가 점점 굳어가는 내 표정을 알아차리고 물었다.

"아무것도 아니야."

"으음? 역시 너 오늘 좀 이상해 아침에도 그렇고! 레나가 그러던데 너 오늘 청소 당번도 아닌데 연구실에서 청소하고 있었다며? 평소엔 자기가 청소 당번인 날엔 청소하기 싫다고 도망 다녔으면서! 사람이 안하던 짓을 하면 죽는다던데! 진짜 어디 아픈 거 아니야?"

"진짜야, 별일 없어."

"진짜지? 그래도 시간 있을 때 의무실 한 번 가봐 너 진짜 이상해."

"으...응."

오늘 다녀왔는데...여기까진 바루 귀에 안 들어간 거 같다. 만약 이거까지 바루 귀에 들어갔다면...상상도 하기 싫다.

"어 레인? 너 오늘 연구소장님이 쓰러진 너 엎고 의무실에 들어오셔서 내가 얼마나 놀랐는지 알아? 심지어 몇 분 자리 비웠더니 네가 자리에 없어서 걱정했다고~! 도대체 뭘 하고 돌아다니는 거야!"

하필 지나가던 치료 담당, 우리 연구소 의사 시호 씨가 그 말을 해버리고 말았다.

"레인? 저게 무슨 소리야?"

"잠깐 바루 이것 좀 놓고 얘기하자 아니, 잠깐만!! 사정이 있었다고오!!"

"아무 일 없었다며어!!"

"으웨에에에!!"

바루의 목소리가 커지자, 시호 씨는 뭔가 이 싸움에 꼬이면 곤란 하다는걸 알아차리시고는 은근슬쩍 도망가셨다.

그렇게 바루는 식당에서 고래고래 소리치

다가 몇 분 뒤 시끄럽다는 민원이 들어온 뒤에야 멈췄다.

"해명할 시간을 주지, 무슨 일이 있던 거냐."

"그냥 세탁기 돌리고 있었는데 갑자기... 아 맞아 빨래!!"

잊고 있던 세탁기에 돌리고 있던 옷들이 생각나서 자리에서 일어나 세탁실로 달려갔다.

세탁실에 들어가 보니 세탁기 옆에 바구니 안에 뽀송하게 빨린 옷들이 들어가 있었다.

아, 메모지가 하나 붙어있네.

옷은 대신 정리해 줬어~!
          -연구소장-

아까 시호 씨가 하신 말도 그렇고 쓰러진 나를 의무실로 데려간 건 연구소장인 거 같다.

뭐, 쓰러진 사람을 보고 지나치기엔 좀 그

랬나 보지, 그냥 그런가보다~ 생각하며 옷들을 챙겨 방으로 향했다. 뒤에서 바루가 소리지르는 소리가 들리는 거 같다. 잡힐까 봐 무서워져서 방으로 뛰어가 무사히 방으로 들어가 문을 잠갔다.

바루가 어느새 문 앞까지 와서 문을 때린다. 무식하게 힘만 쎈 바루가 문을 부서져 버릴까 봐 힘껏 문을 막았다.

"바루! 레인 방문 앞에서 뭐해!! 아주 애 잡아먹겠네!! 9살이나 어린애한테 뭐 하는 짓인지...쯧, 따라와!"

다행히도 주변을 걷고 있던 레나 누나가 바루를 잡아가 밖이 조용해졌다. 그제야 안심하고 잠옷을 제외한 옷들을 옷장에 정리한 뒤 잠옷을 입고 문뜩 거울을 봤다.

피곤에 찌든 내 얼굴이 보인다. 응? 목 뒤에 이건 무슨 상처지...?

자세히 보니 그건 주사기로 찌른 자국이었다.

도대체 목에 이게 왜 있나 싶었다. 그런데

조금만 생각해보면 모든 퍼즐이 맞춰진다.
갑자기 쓰러진 이유? 연구소장이 뒤에서
주사기로 내 목을 찔러 강력한 마취제를
투약해 바로 쓰러진 것

연구소장이 날 보건실로 데려가고 빨래를
해 놓은 이유? 의심받지 않기 위해서.

그리고 마지막, 날 갑자기, 왜 기절시켰을
까? 그 답은 조금 더 생각해 얻을 수 있었
다. 아마, 연구소장은 모든 걸 예상 하고
있던 게 아닐까 싶다. 나에게 엘라한테서
바이러스가 나왔다는 걸 이야기만 하면 이
미 엘라에게 정을 다 붙어있는 내가 엘라
를 위해 해독제를 만들 걸 예상하고, 날 기
절시켜 보건실에 데려다 놓기만 하면 내가
알아서 바이러스를 찾아갈 것을 예상하고,
결국 내가 해독제를 완성하면 안전해진 엘
라를 데리고 또 다른 실험할 생각이었던
것이다. 연구소장은 굳이 자신이 나서지 않
아도 되는 일엔 별로 나서지 않는 성격이
니까 나를 이용할 생각이었나 보다. 물론

내가 생각하고 있는 것 들은 모두 가설이
다.

진짜인지 아닌진 아직 모른다. 하지만 지금
상황으로 봤을 땐 아무리 생각해도 저게
아니면 답이 없다. 사실 뭐, 그렇게까지 놀
랍거나 당황스럽거나 하진 않는다. 이미 어
제 연구소장한테는 실망할 대로 실망했기
때문이다. 그저 엘라에게 미안한 마음밖엔
들지 않는다.

엘라를 만나러 가는 게 너무 늦어질 것 같
다. 분명 엘라를 못 본 지 하루밖에 지나지
않았는데 몇 년은 지난듯한 기분이다. 내가
이 포근한 침대에 편한 잠옷을 입고 있는
순간에도 엘라는 딱딱한 지푸라기 위에서
축축하고 더러운 망토를 입은 채 추위에
떨고 있겠지.

아, 엘라가 있는 숲은 이 연구소 바로 옆,
내 방에서도 보일 정도로 가까이 있는데
난 왜 아무것도 못하고 있을까, 내가 좀 더
똑똑했다면, 내가 좀 더 힘이 있었다면 엘

라를 구할 수 있었을까? 머릿속이 온통 엘라 뿐이다. 내 착한 동생 엘라가 나 대신 저 어두운 숲에서 고생하고 있다는 게 내 마음을 더 아프게 만들었다.

잘 기억나진 않지만 엘라가 사라지기 얼마 전부터 엘라가 나한테 이해할 수 없는 말을 계속했었다.

"오빠...연구소장님이 자꾸 내 몸을 뾰족한 걸 찔러...! 아프다구, 하지 말라고 했는데도 계속하셔! 연구소장님 싫어!"

"오빠! 오늘 연구소장님이 이상한 주스를 나한테 막 먹였는데 완~전 맛 없었다? 우웨에"

그땐 엘라의 말이 하나도 이해가 되지 않아서 그냥 그랬구나~ 하고 넘겼는데, 그때 내가 엘라의 말을 이해하려고 조금만 더 노력했다면, 연구소장이 그런 실험을 하고 있다는 걸 알 수 있었을까? 그때라면 연구소장을 말릴 수 있었으려나? 또 죄책감에 사로잡힌다.

머릿속에서 '네 잘못이 아니야'와 '전부 네 잘못이야'가 싸운다.

엘라와 관련된 기억들이 자꾸만 쏟아져 나와 나를 괴롭힌다. 이 모든 순간에서 내가 잘만 행동했으면 엘라는 괜찮았을 거야, 라는 생각이 든다.

 ...제발, 제발 그만해 이미 지난 일 이잖아...지금 후회해봤자 바뀌는 건 없다고...
엘라 걱정 좀 그만하자...4년 동안 잘 지냈으니 내가 해독제를 만들 때까진 괜찮을 거야...
밀려오는 온갖 걱정들을 밀어내기 위해 나 자신을 안심시킬 수 있는 말을 중얼거렸다.

[계획]

 결국, 아침 해가 뜨는 걸 보고서야 잠들어 버리고 말았다. 일어나 보니 시계가 오후 2시를 가리키고 있었다. 뭐, 요즘 딱히 시키는 일 같은 것도 없어서 늦잠자도 괜찮긴 했지만 2시에 일어난 건 조금 충격이었다. 그 긴 새벽 동안 계속 불안에 떨면서 바보같이 엘라만 걱정하고 있던 건 아니다. 나름대로 엘라를 숲속에서 꺼내줄 방법을 생각했는데...음 생각해보니 이것도 그냥 밤새 엘라 생각만 했다. 가 되네? 에잇, 아무튼 우선 엘라를 데리고 숲 밖으로 나온다고 해도 연구소밖엔 올 수밖엔 없다. 를 해결하기 위해 될진 모르겠지만 방법을 하나 생각해냈다.

엘라의 오두막 옆에 아주 길고 가파른 내리막길이 있는걸 봤다. 그 내리막길 아래쪽을 내려다 봤을 때 엘라가 위험하다고 계속 말려서 잘 보진 못했지만 수많은 집이 보였다. 나는 그게 분명 마을일 것이라고 생각한다. 마을은 어릴 적 엄마, 아빠와 살 때 이후 본적이 없어, 확실하진 못하지만 내 기억 속 마을과 비슷하게 생겼었다. 그러니까, 내 계획은 이렇다.

첫 번째, 빨리 해독제를 만들어 "해독제가 만들어졌으니 이제 엘라를 데리고 오겠다." 라는 명목으로 엘라에게 간다.

두 번째, 엘라에게 가 모든 사실을 말하고 혹시 모르니 해독제를 먹인다.

세 번째, 내리막길을 미끄럼틀을 타는 것처럼 내려가 마을로 도망친다...우린 어리니까 불쌍히 여겨 도움을 주는 사람이 있을 거라 믿는다.

밤새 짠 계획치고는 부실하지만 꼭 해내서 엘라도, 나도 연구소장에게서 꼭 벗어나고야 말 것이다.

일단 첫 번째 계획을 위해서 해독제 개발에 집중해야 할 것 같다.

기분은 나쁘지만, 연구소장이 빨아준 옷을 입고 연구실로 향하다가 또 바루한테 잡혔다.

이 양반은 진짜 할 짓이 없나 보다.

 "잡았다 요놈! 아, 근데 왜 내가 레인을 잡으려고 했더라?"

 진짜 저 머리로 어떻게 연구원이 됐을까...

바루는 잡힌 김에 얘기나 하자는 듯 계속 말을 걸어댔다. 시간이 많진 않지만 내가 엘라와 떠나면 이젠 바루를 다시 보긴 힘들 테니까 계속 붙잡혀 있어 줬다. 내가 떠나면 연구소장이 실험체가 쌍으로 도망갔다며 화를 낼 것은 상상해봤지만 내가 떠나면 바루는 어떨지 생각해보지 못했다.

 "바루, 있잖아, 내가 갑자기 연구소를 떠나면 어떨 거 같아?"

한번 떠보자는 생각으로 바루에게 물었다.

"슬프겠지? 그건 왜? 아 어제도 좀 이랬던 거 같은데 오늘도...레인, 요즘 진짜 뭐 힘든 일 있는 거 아니지?"

"..."

"왜 대답을 못 해? 무슨 일 있던 거지?! 그렇지?!"

바루라면 지금 내가 무슨 상황에 놓여 있는지, 지금 내 계획은 어떤지 말해도 되지 않을까 싶었다. 하지만 말하기가 두렵다. 말했는데 "왜 그런 실험체 하나 목숨 가지고 왜 그래?" 라던가, "연구소장님이 그러셨을 리 없잖아? 레인이 오해한 거겠지" 같은 대답이 나올까 봐, 그런데...바루한테 또 걱정시키긴 싫다. 내가 대답을 망설이니 바루가 나를 똑바로 바라보더니 항상 싱글벙글 웃고 있던 바루의 표정이 진지해졌다.

"레인 나는 언제나 네 편이야 내 앞에선 웃고 뒤에서 혼자 울고 고민하지 않아 줬으면 해."

"끄흡...흑...흐읍 으아앙...!!"

원래도 바루는 평상시엔 웃기고 조금 멍청한 친구 같지만 내가 힘든 일이 생기면 항상 먼저 손을 내밀어주고 걱정해주는 든든한 형 같은 사람이다. 그런데, 몇 번이고 들었던 말인데, 오늘따라 바루의 말이 너무 위로가 돼서 울어버리고 말았다.

바루는 갑자기 울음을 터트리는 나를 보고 조금 당황한 듯 보였지만 계속 나를 위로해주며 내가 울음을 그칠 때까지 기다려주었다.

몇 분 동안 바루에게 안겨 울다가 겨우 눈물을 그친 후,

차분하게 바루에게 엘라를 만난 것과 엘라와 어렸을 적 친했던 것, 연구소장이 엘라에게, 나에게 한 짓 내 계획을 모두 털어놓았고, 바루는 내 얘기가 끝날 때까지 아무 말 없이 들어주었다.

내 말이 끝나자 바루는 무슨 말을 해야 할

지 고민하는 표정으로 날 바라보더니 천천
히 입을 열었다.

"내가 도와줄 게 레인, 약 만드는 거, 엘
라와 도망치는 거 뭐든 말이야."

바루가 할만한 대답이긴 했다. 하지만 난
곳 이 연구소를 떠나지만, 바루는 아니다.
그래서 일이 진행된 후에 나에게 도움을
준 바루에게 불똥이 튈지도 모르는데, 바루
는 정말 속을 모르겠다.

"바루는 이 연구소에 계속 남아있어야 하
잖아! 내가 도망친 뒤에 바루가 날 도와줬
다는 이유로 연구소장한테 무슨 일 당하면
어떡해?!"

"그럼 나도 같이 도망가지 뭐~"

바루가 천하 태평하게 대답했다.

"바루 멍청이...바루는 이게 직업이잖아!
연구원이 되려고 열심히 공부했으면서 여
길 떠나면 그 뒤엔 어떡하려고!"

"레인이야말로 멍청이지~ 꼬맹이 두 명이
도망쳐서 어디서 어떻게 살려구~ 걱정하지

마 레인! 이래 보여도 나 꽤 다재다능한 사
람이야~!"

 바루가 진지했던 표정을 점점 풀어가면서
평소 웃긴 바루로 돌아왔다.

뭐, 이젠 내가 말려도 바루의 결정은 흔들
릴 거 같지 않아서 바루도 함께 떠나기로
했다.

"그럼 이제 슬슬 연구실로 가자, 어제 겨
우겨우 바이러스를 찾아 뒀어, 뭐든 이것저
것 해보면 해독제를 만들 수 있을 거 같
아."

 "잠깐만 레인! 너 아침, 점심 다 안 먹었
지!!"

 "어...그렇지? 2시에 일어났으니까? 근데
배 안 고파! 여기서 시간을 지체할수록 해
독제를 만들 시간이 줄어든다구!?"

 "그래도 밥은 먹어야지! 아직 식당 열려
있을 거야 먹고 하자!!"

 바루는 왜인지는 모르겠지만 내가 밥을
굶는 걸 용납하지 못한다. 그길로 식당에

끌려가서 차갑게 식은 볶음밥을 억지로 먹었다.

이런 걸 먹으라면 차라리 안 먹는 게 나은 맛이었지만 바루가 그냥 억지로 입으로 밀어 넣는 바람에 한 그릇을 다 비웠다. 그래도 해독제를 만드는 건 열정적으로 도와주었다.

원래 있던 약부터 여러 가지 약물, 약초들을 섞어 만든 혼종까지 많은 실험을 해봤다.

딱히 좋은 결과가 나온 건 없었지만 오늘 시작했으니 희망을 가지고, 열심히 해봐야겠다,

"레인."

"왜 불러 바루?"

"저녁...먹으러 가자."

바루가 시계를 가리키며 말했다.

"나 점심 먹은 지 얼마 안 된 거 알고 있는 거지 바루?"

"오늘 저녁 피자빵 나온다던..."

"...갈까? 사람이 밥은 먹고 살아야지 응,
응, 아무렴"

피자빵이 나온다는 바루의 말을 듣고 솔
직히 말해 바로 식당으로 달려가고 싶었지
만, 연구실을 이렇게 더럽혀 두고 가지는
못하니 실험결과를 정리해두고 연구실을
들어오기 전과 원상복귀 시켜놓고 뒤도 안
돌아본 채 식당으로 달렸다. 하지만 아무리
뛰어왔어도 정리하는데 시간이 꽤 걸렸기
때문에 줄을 서야 했다.

"요즘 왜 이렇게 밥이 잘 나오지?"

"그러게 빵 같은 건 한 달에 한 번 나올
까 말까 하는 특식인데."

바루와 나는 점점 줄어가는 줄을 따라가
며 계속 떠들었다.

"빨대 구멍은 1개라니까?! 그럼 단추 구
멍은 8개야?!"

"습...어? 그런가?"

그렇게 한 7분쯤 바루와 조금 유치한 대

화를 하다 보니 우리 차례가 왔고 드디어 피자빵을 배급받을 수 있었다.

"역시 피자빵! 맛있,,,잠깐 레인!! 천천히 먹어!!"

그렇게 저녁을 다 먹은 후 바루와 오늘 실험결과들을 다시 훑어보며 내일을 계획했다.

그러고 이런 짓을 반복한 지 5일 뒤 전혀 기대하고 있지 않던 감기약의 차례에...

"에?"

"어라?"

성공해버렸다.

"연구소장님! 해독제를 찾았습니다!"

실험이 성공하자마자 연구소장한테 달려가 이 사실을 알렸다.

"어머? 정말이네? 벌써? 장하네 레인~ 안 시켜도 이런 거 척척 해오고~ 그럼 내일 바로 출발하렴, 시간 끌어봤자 좋을 건 없을 테니까."

순조롭게 연구소장의 허락이 떨어졌다. 하지만 떠나는 건 나 혼자가 아니다, 바루와 동행하는 것을 허락받아야 한다.

"연구소장님 저번에 제가 처음 엘라를 만나러 갔을 땐 길을 잃어서...이번엔 바루와 함께 다녀와도 될까요?"

"음...확실히 레인이 길치이긴 하지 하지만, 너는 멀쩡했고, 전에 보낸 연구원은 물린 걸 보면, 엘라는 어른을 싫어하지 않아? 괜히 바루랑 갔다가 엘라가 또 물거나 도망가면 어떡하려고?"

아무리 내가 길치이긴 해도 사람 면전에 대고 길치라니 조금 기분이 나빠졌지만 계속 대화를 이어 나갔다.

"며칠 전에 쓰러졌을 때 의무실을 조금 구경하다가 엘라한테 물렸다던 사람을 봤습니다. 누가 봐도 험악하게 생겼던데...엘라는 그냥 무섭게 생긴 사람을 무서워하는 거 같습니다."

"음...그래? 뭐 그럼 허락 안 해줄 이유야

없지 내일 아침 해가 뜨면 출발하렴, 엘라
는 잘 달래서 내 앞으로 데려와, 알았지?"
"네."
 연구소장실을 나오자마자 다리에 힘이 쭉
풀려서 복도 바닥에 주저앉았다.
성공했다. 남들에겐 일주일이라는 짧은 시
간이었겠지만 나에겐 내 인생 중 가장 긴
시간이었고, 가장 많은 것을 깨닫고 해내는
시간이었다.

 이제 내일이면 이 연구소를 떠난다. 이 연
구소에서 가장 소중한 사람도 나와 함께
이곳을 떠나서 그런지 10년을 산 이곳을
떠난다는 게 전혀 슬프지 않다. 오히려 기
쁘고, 나에게 묶여있던 족쇄들이 풀려 자유
로운 나비가 된 기분이다. 아, 바루에게 이
기쁜 소식을 빨리 알려주어야 한다. 나는
떨리는 다리를 끌고 연구실에서 소식을 기
다리는 바루에게 향했다.
 "바루! 성공이야! 내일 엘라에게 다녀오

래! 바루랑 동행하는 것까지 허락받았어!"

"정말? 잘됐다! 레인!"

"잠깐 바루! 왜 남 일처럼 말하는 거야? 바루도 같이 떠나니까 남 일은 아니라고?!"

바루의 바보같은 말에 긴장이 완전히 풀렸고 어느새 떨리던 다리도 진정되었다.

그날 밤, 바루와 같이 짐을 쌌다. 적지만 지금까지 모아둔 비상금과 혹시 꽤 오래 해맬 수 있으니 주먹밥과 자잘한 간식, 그리고,

"레인 그 종이상자는 왜 챙기는 거야? 너무 커서 들고 가기 힘들 거 같은데?"

"쓸데가 다 있어."

썰매.

준비를 마치고 내일을 위해 일찍 침대에 누웠다.

분명 해냈다는 뿌듯함과 자유롭게 살 수 있다는 기쁨이 컸지만, 엘라가 밖으로 나가

자는 우리의 제안을 거절할 확률이 아예 없는 것은 아니어서 그런지 마음 한편엔 불안한 감정이 자리를 잡고 있었다. 엘라는 숲 밖으로 나가고 싶지 않을 수도 있다. 기억이 지워져서 기억나는 곳은 숲속밖에 없을 텐데, 숲 밖 세상은 상상도 못 해봤을 엘라에게 숲 밖으로 나간다는 것은 자신이 알던 세상이 한 번에 뒤바뀌는 일이니, 분명 무서울 것이다. 하지만 확실한 것은 이 대로 두면 엘라는 위험하다. 엘라는 아주 어릴 때부터 연구소장의 실험체였다. 연구소장에게 실험체일 뿐인 엘라가 연구소로 돌아오면 숲속에서 살던 것보다 더 안 좋은 환경에서 살아갈 것이다. 엘라와의 상의 없이 멋대로 만든 내 계획이어도 엘라를 살리기 위해서는 실행시켜야 한다.

엘라한테 선택지를 주지 못 한다는 게 너무 미안하지만, 그저 엘라가 이해해주길 바랄 수밖엔 없다.

[출발]

'띠리리리릿 띠리리리릿-'

아침 해가 뜨고 있을 즘 나는 어젯밤 아침 6시 반에 맞춰두었던 알람에 의해 일어났다.

꾸물꾸물 침대에서 일어나 숲속을 오래 걸어야 하기에 움직이기 편한 옷으로 갈아입었다.

그리고 어제 미리 싸놓은 가방과 너무 커서 가방엔 넣지 못한 종이상자를 품에 안고 방을 나왔다. 그리고 내가 일찍 일어난 이유인 바루를 깨우러 바루의 방 앞으로 갔다. 실핀으로 쉽게 문을 따고 바루의 방으로 들어갔다.

"...방이 아주 돼지우리네. 연구실 청소는 잘하면서 본인 방은 왜 이래놓은 거지?"

바루의 방에 들어오자 보이는 바닥에 쓰레기들과 옷을 보면서 중얼거렸다.

그리고 그 더러운 방에 혼자 다른 세상에 있는 듯 깔끔한 침대 위에 누가 업어가도

62

모를 정도로 곤히 잠들어 있는 바루가 있
었다.

'삐비비비빗 삐비비비빗~'

바루 옆엔 일어나지 않는 게 신기할 정도
로 큰 소리를 내는 알람 시계가 울리고 있
었다.

나는 이 커다란 소리에도 일어나지 않는
바루를 보며 일반적인 방법으로 깨우긴 불
가능하다고 생각하고 바닥에 굴러다니던
페트병 하나를 주워서 물을 채워 그대로
바루에 얼굴에 부었다.

"프학 레인!! 너 뭐 하는 거야!!"

"세수시켜줬어."

"침대 다 젖었네…"

"어차피 이제 안 쓸 거잖아."

"…그러네."

바루까지 준비를 마친 뒤 우리는 엘라가
있는 숲으로 출발했다

.

"역시 아침밥 먹고 나올 걸 그랬어!"

출발한 지 얼마 안 가 시무룩한 표정으로
바루가 말했다.

"배고프면 바루 가방에서 뭐 하나 꺼내
먹어, 어제 뭐 많이 챙겼었잖아."

"얼마나 걸릴지 모르는데 어떻게 벌써 비
상식량을 먹어!"

라고 말하던 바루는 몇 걸음 걷다가 멈춰
서더니 가방에서 초콜릿 하나를 꺼내 먹었
다.

또 그렇게 몇 걸음 걷다가 멈춰 서서는 사
탕 하나를 꺼내 먹었다.

"바루 안 먹는다고 하지 않았어?"

"그래서 주먹밥은 안 먹고 있..."

'꼬르르르륵-'

"그냥 먹어 바루."

"응..."

바루는 주먹밥을 먹고 기운을 차린 듯 점
점 걷는 속도가 빨라지더니 분명 바루는
걷고 있는데 내가 뛰어야 겨우 따라잡을
수준이 되었다.

"바루!! 어디까지 가는 거야!!"

"하하핫, 레인! 너는 나를 따라잡을 수 없다!!"

"그게 무슨 악당 같은 소리야!!"

그렇게 바루랑 의미 없는 체력 낭비를 하며 숲속을 뛰어다니고 있는데 저 멀리 작은 나무 앞에 쭈그려 앉아있는 붉은 머리에 아이가 보였다.

"으음? 이 목소리는? 레인?"

"엘라!!"

엘라가 너무 걱정되고, 보고 싶어서, 일주일 동안 엘라의 모습을 생각만 하다가 눈앞에 다시 나타난 엘라를 보니 너무 길었던 일주일의 시간이 아무것도 아닌 것처럼 느껴졌다.

"레인! 기다렸다구요! 일곱 밤이나 잤는데 안 오셔서 다신 못 보는 줄 알았어요!"

"미안해 엘라, 이걸 찾느라 시간이 너무 오래 걸렸어."

나는 가방에서 감기약을 꺼내 엘라에게

보여줬다.

"이게 뭐예요 레인?"

"그걸 지금부터 설명해 줄 건데..."

"레인 이 애가 엘라야?"

바루가 갑자기 끼어들며 말했다.

"바루! 말 끊지 마! 그리고 내가 엘라를 만나면 엘라한테 바루에 대해 설명해줄 때까지 엘라 쪽으로 오지 말라고 그랬지!!"

어느새 엘라는 내 등 뒤로 숨어서 눈만 빼꼼 내밀어 바루를 쳐다보고 있었다.

"어...그러니까 엘라, 저 아저씨는 엘라를 도와주러 온 사람이니까 무서워하지 않아도 돼."

"저를 도와줘요?"

"엘라, 지금부터 할 얘기 놀라지 말고 잘 들어줘, 알았지? 엘라가 지금 이 숲에 있는 건 내가 살고 있던 연구소라는 곳에 어떤 사람이 궁금증을 해결하려고 이 숲에 억지로 넣은 거야 원래 오늘 너를 데리고 연구소로 돌아가야 했는데, 엘라가 연구소로 돌아가면 지금처럼 이렇게 맑은 공기를 마시며 자유롭게 돌아다니진 못할 거야."

"네...대충 이해했어요, 레인은 저를 오늘 끔찍한 곳으로 데려가려고 오신 거죠?"

엘라의 눈에 눈물이 차오르더니 이내 고개를 떨구었다.

"아니 그게 아니라 나는 너를 도우러..."

"레인, 저 괜찮아요! 레인이 저를 그런 곳에 데려가고 싶지 않은 거 알아요, 어쩔 수 없는 거죠? 레인 원망 안 할 테니까 설명해주시려 하지 않으셔도 괜찮아요."

엘라가 떨리는 목소리로 말했다.

"아니야 엘라, 내가, 아니, 우리가 엘라가 그 끔찍한 곳에 가지 않게 하도록 얼마나 열심히 했는데! 오늘 엘라에게 온건 엘라랑 연구소를 피해 이 숲에서 도망치자고 하려고 온 거야...!"

엘라의 오해를 풀어주려고 다급하게 말을 하다가 엘라가 그런 생각을 하게 했다는 게 또 미안해서 중간쯤부턴 울면서 말했다.

"진짜요...?"

엘라는 눈물범벅이 된 얼굴을 닦으며 말했다.

"응 진짜야 엘라, 그러니까 울지마."

"에이, 레인도 울고 있잖아요~!"

"그래서 레인? 나 이제 말해도 돼?"

"...그래 바루 마음대로 해."

"근데 레인, 이 숲을 어떻게 나가려고? 나도 여기 나오는 법은 연구소 쪽으로 나가는 법밖에 모르는데?"

"아, 그건 내가 생각해둔 게 있는데 엘라, 혹시 집까지 안내해줄래?"

"네? 아, 네!"

"그런데 레인, 엘라한테 연구소에서 살 때 이야기는 안 해줄 거야?"

바루가 엘라를 따라가며 조용히 내게 물었다.

"이미 엘라가 연구소는 안 좋은 곳이라고 인식해 버렸잖아...지금 상황에서 그 이야기를 하면 엘라가 연구소가 좋은 곳 인지 안 좋은 곳 인지 혼란스러워할 거야, 천천히, 준비가 되었을 때, 그때 말할 거야."

"음...확실히 그게 좋겠네."

"레인! 아저씨! 도착했어요!"

"푸흡...바루 엘라가 바루 보고 아저씨라는데?"

"...와 화는 나는데 엘라한테는 아저씨가 맞아서 뭐라 할 수가 없네"

"아저씨래요~아저씨이~~"

"레인?"

"...죄송하옵니다."

"저기...레인? 아저씨? 도착했다구요!"

그렇게 엘라를 따라 엘라의 집에 도착했다.

"와~ 진짜 무너져 가네? 이런 곳에서 어떻게 살았던 거지?"

바루가 엘라의 집을 보며 집의 형태가 유지되는 것만으로도 신기한 듯 말했다.

"으앗? 레인! 그쪽은 내리막길이라니까

요?! 위험하다구요!"

내가 곧장 내리막길 쪽으로 걸어가자 엘라가 놀라며 말렸다. 나는 아랑곳 하지 않고 내리막길 아래를 내려다보았다. 역시, 착각이 아니었다. 마을이 있다. 나는 내리막길에 챙겨온 종이상자를 깔았다.

"음? 레인 설마...그거 챙겨온 이유가..."

"응! 썰매야!"

"네가 드디어 미쳤구나!! 그거 타고 내려가자고?? 그걸 어떻게 타!!"

"설마...바루 무서워?"

"와~ 재밌겠네요~!"

"엘라도 안 무서워하는데?"

"..."

결과적으로는 내가 엘라를 안고 바루가 나를 안는 형식으로 타기로 했다.

"그, 그럼~ 급하게 움직일 필요는 없으니까~ 잠깐 소풍 나왔다고 생각하고 쉬어볼까나~"

바루가 그렇게 말하면서 풀밭에서 굴렀다.

"아저씨! 그러다가 벌레 물려요!"

"그래 바루!"

"나 지금 나보다 9살, 16살 어린 애들한 테 혼나고 있는 거지?"

"바루가 바루보다 어린애들도 안 하는 짓 을 하니까 그렇지!"

"맞아요! 적어도 집으로 들어와서 뒹굴어 요!"

엘라의 집으로 바루를 끌고 들어와서 연 구소에서 챙겨온 음식들을 꺼냈다.

"우와! 레인! 이것들은 뭐예요? 처음 봐 요!"

사실 이것들은 모두 엘라가 연구소에 살 때 많이 먹었던 것들 위주이다. 자신이 가 장 좋아하던 음식도 기억하지 못하는 엘라 가 조금 안쓰러웠다.

"이건 주먹밥이고 이건 과자, 저건 사탕이 라는 거야!"

"먹는 거예요??"

"응! 음...조금 먹어볼래?"

저번에 만났을 땐 오랫동안 벌레라던가 열매만 먹던 엘라에게 이런 걸 줘도 될까...해서 주지 못했지만 이젠 밖으로 나가면 많이 먹을 것들이기도 하고 기억은 지워졌어도 엘라가 좋아하던 것들인데 먹지 못하게 하기 미안해서 내 주먹밥을 반으로 나누어 엘라에게 주었다.

"으무음...음! 엄청 맛있어요, 레인!! 혹시 이것도 먹어도 돼요?"

엘라가 주먹밥을 다 먹고 사탕을 가리키며 말했다.

"그럼...하나만 먹어 엘라!"

"레인~! 지금까지 계속 못 먹었을 텐데 팍팍 먹으라 그래!"

바루가 약간 혼내는 말투로 말했다.

"지금까지 계속 못 먹었을 테니까 조절해주는 거야!! 안 먹던 거 갑자기 먹이면 뭐 잘못될까 봐!!"

"그래도...저 표정을 봐봐 한 개만 먹이기엔 조금..."

바루의 말에 엘라를 바라보니 충격받은 얼굴로 입만 뻐끔거리는 엘라가 있었다.

"레인...!! 이거 사탕이라고 했죠...?!"

"으응..."

"너무너무 맛있어요! 열매 맛이랑 비슷한데 열매보다 **훨씬** 달아요!! 레인! 저 하나만 더 먹으면 안 돼요??"

"어...어?"

결국 엘라는 챙겨온 사탕을 모두 먹었다.

"히힛 레인! 저 숲속에서 마지막일지도 모르니까 밖에서 좀 놀다 올게요!"

"어? 아니 엘라, 잠시만! 아, 가버렸네"

엘라는 만족스러운 얼굴로 밖으로 뛰쳐나갔다.

"바루, 바루도 그렇고 엘라도 그렇고 왜 먹을 것만 먹으면 기분이 좋아지는 거야?"

"어? 그거 너도 빵 먹으면 그러잖아? 네가 더 심하면서 뭘 물어보는 거야?"

"아."

그렇게 엘라가 밖으로 나가버린 지 몇 시

간 해가 점점 지고 있을 무렵 엘라가 온몸에 흙과 잡초들을 묻힌 채로 돌아왔다.

"레인! 아저씨! 저 왔어요!"

"엘라...? 도대체 뭘 하다가 왔길래 이렇게 된 거야?!"

"아! 이거요? 헤헤 토끼랑 토끼 굴에서 놀다 보니 흙이 조금 묻었네요? 헤헤"

"조금?!"

이게 조금이면 많이는...진흙 괴물?!

"네! 왜요?"

"아, 아니야! 엘라, 출발하기 전에 흙이랑 잡초들 좀 털어내고 갈까?"

"네!"

워낙 뭘 많이 묻혀와서 바루까지 합세했는데도 모두 털어내는 데 시간이오래 걸렸다.

"자! 이 정도 했으면 되겠지! 벌써 해가 다 졌네! 얼른 출발하자!"

그렇게 말하고 엘라와 바루를 데리고 내리막길 쪽에 던져둔 종이상자로 향했다. 아

차, 깜빡 잊고 있던 상자에 앉기 전에 엘라
에게 감기약을 내밀었다.

"엘라, 이건 말이야..."

"레인, 주세요! 이거 마시면 되는 거죠?
꿀꺽"

엘라는 설명을 듣지 않고 감기약을 한 번
에 삼켜버렸다. 조금 놀라긴 했지만 엘라의
머리를 쓰다듬으며 종이상자에 앉았다.

"잠깐만, 잠깐만 레인 아무리 생각해봐도
이건 아닌 거 같아!! 우리 다른 방법을 생
각해 보자!! 응??"

"바루~ 제일 뒤에 있으면서 엄살 부리지
마~"

"너는 가운데에 있잖아!!"

"어...에잇!"

딱히 반박할 말이 떠오르지 않아서 그냥
다리로 땅을 밀어 출발했다.

"와아~"

"이거 꽤 재밌는데?"

"으아아아아아악!!!"

바람이 기분 좋게 불어오고 하늘엔 별이 빛나 아름다운 경치가 펼쳐졌다. 이 상황을 즐기지 못하는 사람이 내 뒤에 한 명 있는 거 같지만 뭐, 저건 자업자득이니까...

쭉 내려가다 보니 마을 인근 풀밭에 도착할 수 있었다.

[그 후]

우리는 마을 안쪽으로 들어가 오늘 밤 묵을 곳을 찾아 헤맸다.

"어머, 옷이 흙투성이네! 들어오렴! 남는 방이 몇 개 있어!"

다행히 우리의 초라한 행색을 보고 한 아주머니가 불쌍하게 여겨 재워주시는 것뿐만 아니라 따뜻한 저녁밥까지 내어주셨다. 분명 숲속에서 주먹밥을 먹고 와서 그렇게까지 배가 고픈 것은 아니었지만 연구소를 나와 몇 년 만에 먹는 집밥은 지금껏 먹었던 그 무엇보다 맛있었다.

"쇼이! 내려왔구나! 밥 먹으렴!"

"엄마...저 사람들은 누구야?"

또, 아주머니는 엘라의 또래의 딸이 한 명 있어서 엘라는 처음으로 또래의 친구가 한 명 생겼다. 아주머니는 감사하게도 계속 아주머니 집에서 지내게 해주셨고 바루에겐 일자리도 추천해주셔서 바루는 금방 새롭게 취직했고 엘라와 나는 마을에 작은 학

교도 다닐 수 있게 되었다. 모든 게 평화롭고 안정된 일상이 계속되었지만 나는 사실 엄청나게 불안했다. 그렇게 똑똑한 연구소장이 우리가 연구소를 탈출할 거라고 생각못 했을까...이 마을이 연구소에서 그렇게 먼 곳도 아니고 연구소장이 여길 찾아오지 않을까...하지만 이 걱정들도 이 마을에서 지내는 시간이 길어질수록 점점 하지 않게 되었다.

"오빠! 아저씨! 일어나!!"

"맞아!! 일어나! 오늘 쉬는 날이라고 시장 가서 다 같이 장 보자며!"

"에효...엘라, 나는 말이야 오빠랑 아저씨가 어젯밤에 소리지르면서 배게 싸움할 때부터 알아봤어!"

"쇼이! 나한테 좋은 생각이 있어!"

"오! 뭔데?"

'속닥속닥'

"와하하핫!! 좋아! 그럼 엘라가 오빠한테 해! 내가 아저씨한테 할게!"

"하나...둘!"

"와아아아아악!!"

"와아아아아아악!!!"

"으악! 엘라! 뭐 하는 거야!!"

"으아악!! 쇼이! 자는 사람 귀에 대고 소리를 지르면 어떡해!!"

"하하핫~ 일어났다!"

"일어났다!!"

"...레인, 엘라가 점점 쇼이를 닮아가는 거 같지않아?ㅋㅋㅋ"

"그러게ㅋㅋㅋ"

엘라는 쇼이와 친구가 된 후, 엘라는 숲속에서 혼자 살면서 차분해진 성격이 쇼이 덕분에 원래대로 돌아갔다. 쇼이는 계속 나를 오빠, 바루를 아저씨로 불렀고 엘라는 계속 나를 레인, 바루를 아저씨로 불렀는데 어느 순간부터 나는 오빠, 바루는 아저씨로 통일되었다. 바루는

"나는 항상 아저씨인 거냐..."

라며 아직도 투덜거린다.

"아저씨~ 저 쿠키 맛있어 보이지 않아~?"

"오빠~ 저 쿠키 옆에 사탕도 맛있어 보이는데에~?"

엘라와 쇼이는 시장만 오면 사탕과 쿠키를 사달라고 조르고는데,

"엘라~ 저번에 사탕 가득가득 먹고 자다가 어떻게 됐더라~?"

"이...이빨이 아팠지이...?"

"쇼이~ 너도 옆에서 같이 쿠키 먹다가 어떻게 됐더라~?"

"...엘라랑 같이 손잡고 아랫마을까지 내려가서 치과에 갔지? ...안 먹을게."

항상 이렇게 바루가 겁을 줘서 스스로 포기하게 만든다.

"에잇! 쇼이! 우리 놀이터 가서 모험 놀이나 하자!"

"그래!"

"아니, 잠깐만 오늘 장 보는 거 도와주려고 따라온 거 아니었어?"

"그냥 사탕이랑 쿠키 사달라고 따라 나온 거 같네...바루, 아주머니가 사오라고 한 애플파이 재료나 사러가자~"

엘라와 쇼이는 요즘 "모험 놀이" 라는걸 즐겨 하는 거 같은데, 대충 엘라가 숲에서 살 때 하던 것들을 놀이로 바꾼 놀이인 거 같다. 다행히도 이제는 숲이 아닌 안전한 놀이터에서 놀기도 하고, 더 이상 지렁이 같은 건 안 잡아먹는 듯해서

"이제 엘라가 평범하게 노는구나!!"

하며 놀이터 벤치에 앉아서 열심히 뛰어다니는 엘라와 쇼이를 흐뭇하게 쳐다보던 기억이 떠오른다. 가끔 정말 뭘 하다 온 건지 흙투성이가 돼서 돌아와서 아주머니한테 혼나긴 하지만 말이다.

"바루! 레인! 오늘 들어온 생선 좀 보고 가~!"

"음...~ 바루! 오늘 저녁 생선구이 어때?"

"그럴까? 글레먼 씨! 생선 두 마리만 주세요!"

"바루~ 레인~ 오늘은 애플파이 안 구
워~?"

"아! 마엠 씨! 저희 사과 5개요!"

"그려~! 사과가 오늘 새벽에 막 따온 거
라 싱싱해!"

"감사합니다!"

장을 모두 보고 집으로 돌아가던 길, 커피
콩 냄새가 풍겨와, 문득 한창 연구소가 바
쁠 때 커피를 물처럼 마셨던 레나 누나 생
각이 났다.

"바루, 그런데 레나 누나 좋아하던 거 아
니었어?"

"ㅁ, 머, 뭐?! 그게 무슨 소리야!! 그런 거
아니 거든?!"

"푸흡...그래, 그런 걸로 하자!"

거짓말이다, 밤마다 편지를 쓰고. 편지 봉
투엔 항상 to. 레나라고 적혀있는데, 바루
는 내가 그걸 믿을 거라 생각하나 보다. 같
은 방에, 딱히 숨기지도 않던데 그걸 모를

리가...

 바루와 수다를 떨며 집으로 돌아가니 아주머니가 애플파이를 구울 준비를 하고 계셨다.

 ”왔어~? 쇼이랑 엘라는?“

 ”하하, 장보다 말고 놀이터로 도망가버렸지 뭐에요~“

 ”그래? 그럼 엘라랑 쇼이는 애플파이 못 먹겠네~!“

 아주머니가 말을 마친 순간 문이 열리는 소리가 났다.

 ”앗! 잠깐만 엄마! 그러는 게 어디 있어!“

 ”저희도 애플파이 좋아하는 거 다 아시면서!“

 쇼이와 엘라가 땀을 잔뜩 흘리며 뛰어 들어왔다. 엘라는 아주머니께 만큼은 아직 존댓말을 쓴다.

 ”다 왔네! 모두 손 씻고 와!“

 쇼이와 엘라는 아주머니와 함께 반죽을

하고, 나와 바루는 사과를 손질하고, 사과
조림을
만든다. 매주 쉬는 날마다 우리는 항상 애
플파이를 굽기에 모두 자신의 역할에 익숙
해져 있다.

"완성!"
 1시간 후 아주머니가 막 구운 따끈따끈한
애플파이를 식탁에 내려두며 외쳤다.
우리는 식탁에 옹기종기 모여 애플파이를
나누어 먹었다. 애플파이를 맛있게 먹고 있
을 때 갑자기 내 앞에 앉아있는 엘라와 숲
속을 탈출할 때 엘라가 겹쳐 보였다. 숲속
을 나올 때보다 훨씬 행복해 보이는 엘라
를 보니 문뜩 엘라와 이곳으로 도망치길
정말 잘했다는 생각이 들었다. 물론 나도
연구소에서 살 때보다 훨씬 행복하다!

[엘라의 작은 모험 마침]

엘라의 작은 모험

발 행 | 2024년 08월 22일
저 자 | 정주은
펴낸이 | 한건희
펴낸곳 | 주식회사 부크크
출판사등록 | 2014.07.15.(제2014-16호)
주 소 | 서울특별시 금천구 가산디지털1로 119 SK트원타워 A동 305호
전 화 | 1670-8316
이메일 | info@bookk.co.kr

ISBN | 979-11-419-0170-7